MAY - - 2009
P9-CQA-132

Edición original: **OQO Editora**

© del texto | Rachel Chaundler 2008
© de las ilustraciones | Bernardo Carvalho 2008
© de esta edición | OQO Editora 2008

Alemaña 72 | 36162 Pontevedra
Galicia | ESPAÑA
T +34 986 109 270 | F +34 986 109 356
OQO@OQO.es | OQO@OQO.es

Diseño | Oqomania
Impresión | Tilgráfica

Primera edición | julio 2008
ISBN | 978-84-9871-055-7
DL | PO 327-2008

Reservados todos los derechos

Rachel Chaundler

ilustraciones de Bernardo Carvalho

Des Plaines Public Library
1501 Ellinwood Street
Des Plaines, IL 60016

OQO EDITORA

Había una vez un dromedario
que se llamaba Macario
y vivía en el desierto.

Cuando los dromedarios lloran,
se les encoge un poco la joroba;
y como Macario lloraba a menudo,
tenía una joroba pequeñita.

Mamá y Papá Dromedario
estaban preocupados
y no lo dejaban jugar en las dunas.

Macario se sentaba en el oasis
y, desde lejos,
escuchaba las risas de sus amigos.

Una tarde, los hermanos de Macario
jugaban como de costumbre…

¡con un erizo!

El mayor le dio una patada
y lo lanzó por el aire.

¡AaayYy...!

-chillaba el erizo
con todas las púas de punta.

A Macario,
aquello no le gustaba nada y...

¡se echó a llorar!

Cuantas más patadas le daban al pobre erizo,
más lloraba Macario.

De pronto,
los dos dromedarios
se quedaron de una pieza:

¡LA JOROBA DE MACARIO
HABÍA DESAPARECIDO!

En el oasis no se hablaba de otra cosa.

Mamá Dromedario no sabía qué hacer;
Papá Dromedario murmuraba:

– Un dromedario sin joroba…
¡Qué vergüenza!

Y Macario… ¡lloraba!

Cuando iba a beber al abrevadero,
todos cuchicheaban:

– ¡No tiene joroba!

Y Macario… ¡lloraba y lloraba!

Una noche, cuando todos dormían, el erizo salió de casa.
Estaba de mal humor por lo ocurrido
y no podía pegar ojo.

Avanzó lentamente por la arena,
se acercó a Macario y le gruñó al oído:

– Si no buscas tu joroba,
nunca la vas a encontrar.

Macario despertó sobresaltado,
sin saber qué hacer, y… ¡se echó a llorar!

Entonces el erizo le dijo:

– ¡Yo te ayudaré!

Los hermanos de Macario,
que dormitaban cerca de allí,
escucharon los sollozos y dijeron:

– ¡Vamos a divertirnos un poco!

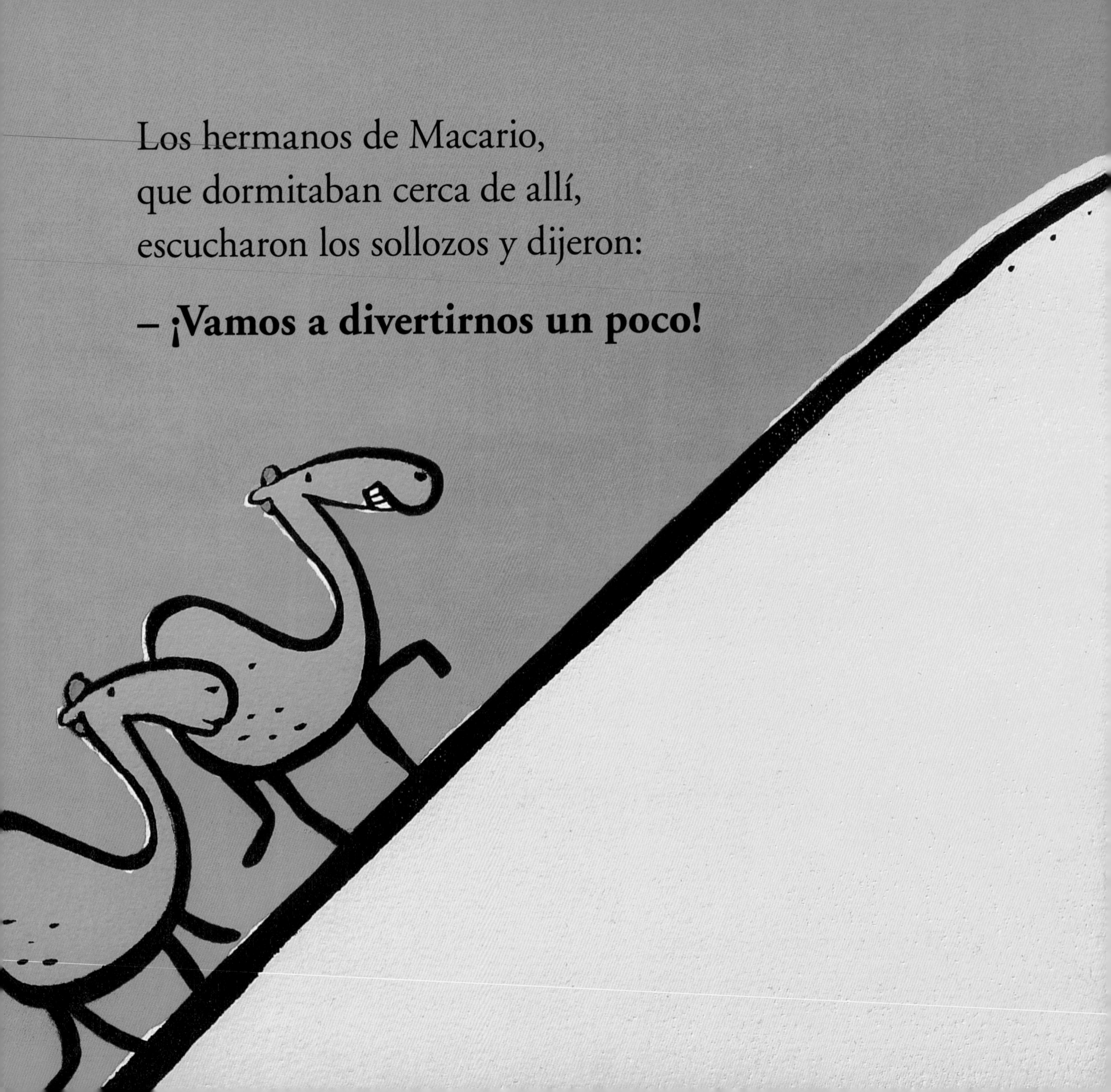

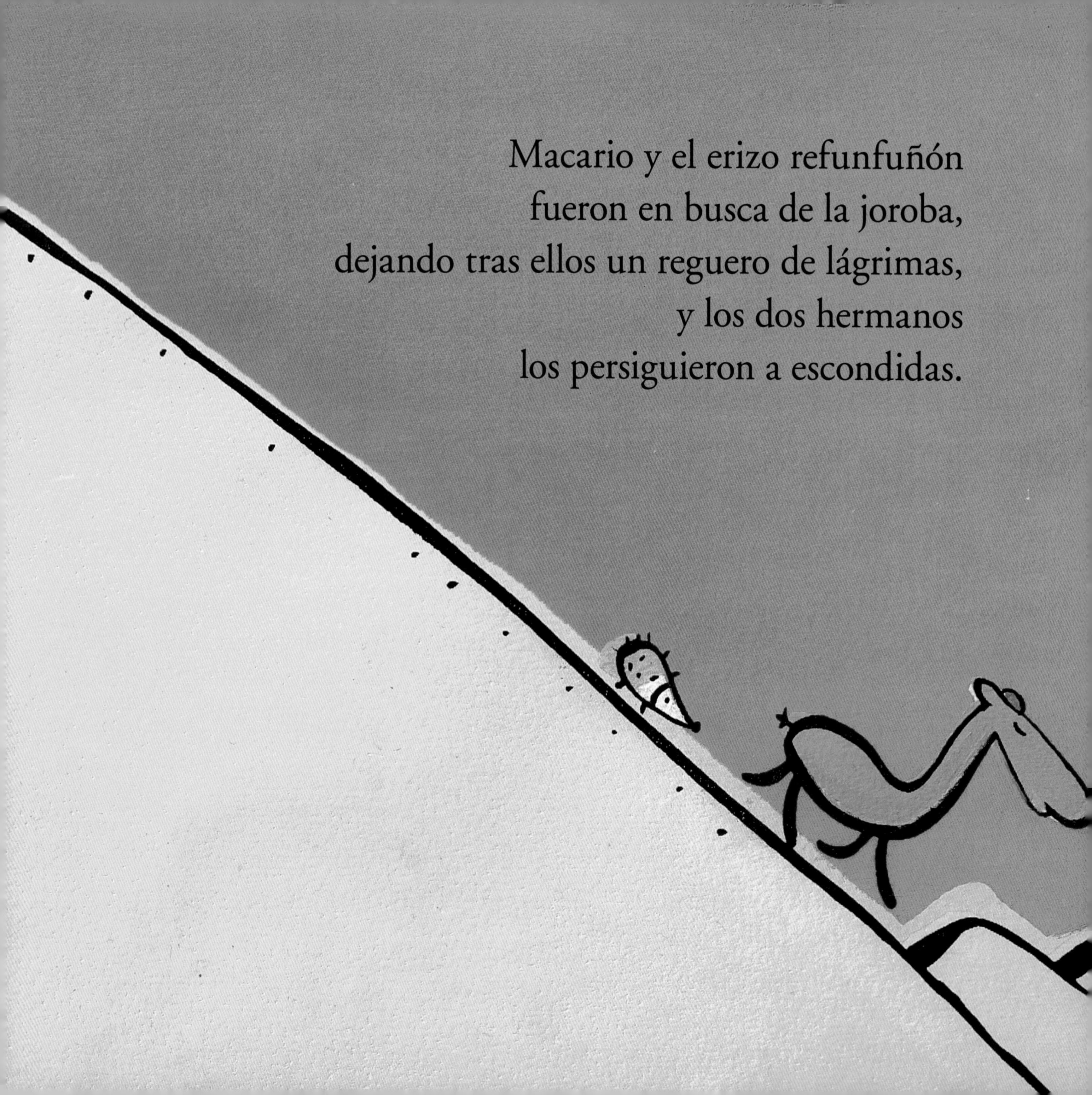

Macario y el erizo refunfuñón
fueron en busca de la joroba,
dejando tras ellos un reguero de lágrimas,
y los dos hermanos
los persiguieron a escondidas.

Ya lejos de casa,
el viento empezó a soplar.

Se acercaba una tormenta de arena.

Macario, asustado… ¡se echó a llorar!

El erizo olisqueó en todas direcciones y dijo:

– Hay un oasis cerca. Tenemos que darnos prisa para que no nos pille la tormenta.

Y se subió a lomos de Macario.

Entonces escucharon dos voces:

¡SOcooorrroOo...!

¡SOcooorrroOo...!

Macario miró hacia atrás y vio dos bultos que se hundían entre arenas movedizas.

¡Eran sus hermanos!

– ¡Lo que nos faltaba!
-se quejó el erizo, enfadado.

Sin pensarlo dos veces,
Macario le dio una patada a un cactus
y se lo lanzó a los dromedarios.

Los dos hermanos estiraron las patas
y consiguieron alcanzarlo, pero…

¡estaba cubierto de espinas!

¡Ay! ¡Ay! ¡Ay!

-gritaban,
intentando salvarse.

Macario agarró el cactus,
tiró con fuerza…
y arrastró a los dromedarios a tierra firme.

El erizo,
impresionado por la valentía de Macario,
le dijo:

– **Es la primera vez que no lloras en muchos días.**

Era verdad:

¡Macario no había derramado ni una lágrima!

Pero el viento seguía soplando
y la arena formaba remolinos.

¡Había que buscar cobijo!

Pronto vieron un oasis en el horizonte
y corrieron a protegerse.

Cuando el viento amainó,
los dromedarios se sacudieron la arena.

Macario tenía mucha sed:

¡más que nunca!

Fue al abrevadero
y empezó a beber a beber a beber…

Y su joroba
empezó a crecer a crecer a crecer…

Los hermanos se quedaron boquiabiertos.

El erizo, bostezando, dijo:

– ¡Ya podemos volver a casa!

Llegaron al atardecer.

Papá Dromedario,
sonriendo, resopló:

– ¡Vaya joroba!

Mamá Dromedario
observó orgullosa:

– ¡Y ya no lloras!

Mientras los hermanos se quitaban las espinas,
Macario se fue a jugar con sus amigos en las dunas.

El erizo desapareció por un agujero en la arena.
Tenía tanto sueño que iba a dormir…

¡todo el invierno!

Seguro que cuando se despertase,
ya estaría de buen humor…